Hervé Jubert

Alexandre le grand

Belles vies
l'école des loisirs
11, rue de Sèvres, Paris 6e

Loi n° 49.956 du 16 juillet 1949 sur les publications
destinées à la jeunesse : mars 2006
Dépôt légal : mars 2006
Imprimé en France par Mame à Tours (n° 06022041)

Chronologie

356 av. Jésus-Christ : naissance d'Alexandre
336 : assassinat de son père, Philippe de Macédoine
Mai 334 : bataille du Granique
Novembre 333 : bataille d'Issos
Janvier-février 331 : fondation d'Alexandrie d'Égypte ; visite à l'oasis de Siouah
Octobre 331 : bataille de Gaugamèles
Juillet 330 : mort de Darius
330-328 : campagnes jusqu'en Sogdiane
327-325 : campagnes indiennes
Juin 326 : bataille de l'Hydaspe
Fin 325 : traversée du désert de Gédrosie
10 juin 323 : mort d'Alexandre à Babylone

« Quelle idée de m'envoyer sur la colline du sanctuaire, pensa Démétrios, alors que j'aurais pu aller chasser les poules d'eau avec les copains. »

Dans son dos, en bas de la sente escarpée, le fleuve Hyphase brillait comme du métal argenté. Là-haut l'attendait le vieux auprès de qui on l'avait envoyé.

Personne ne savait qui il était. Le vieux avait débarqué au dernier coucher des Pléiades pour s'installer dans le sanctuaire. Il dormait à l'abri d'une tente. Démétrios l'avait vu se baigner dans le fleuve, une fois, caché derrière les roseaux. Il avait pu compter sur ce corps plié par l'âge de nombreuses cicatrices en forme de demi-lune.

Démétrios atteignit la terrasse circulaire et contempla le spectacle étrange des douze stèles et de la colonne qui avaient été dressées là par les soldats de Sikandar bien avant sa naissance. Le vieux était assis face aux monts de l'Imaïs, vers le nord, une chlamyde pourpre jetée sur les épaules.

Démétrios avança d'un pas hésitant. Il lui tendit la galette d'orge et le poisson séché confié par sa mère. Le vieux au profil d'aigle prit le tout pour le poser à ses côtés.

– Assieds-toi.

Démétrios obéit. L'autre pivota pour lui faire face et dit d'une voix claire :

– Tu es Démétrios. (Le garçon hocha la tête.) Celui qui préfère le stylet à la fronde.

C'était un des sujets de raillerie dont Démétrios était régulièrement victime. Il n'aimait ni courir ni se battre. Il préférait déchiffrer les quelques papyrus que le village possédait, soutirer des renseignements aux marchands venus de contrées lointaines ou apprendre à écrire avec l'aide des scribes itinérants. N'empêche, malgré son âge – onze ans –, on commençait à le solliciter pour raconter des histoires lors des grandes veillées et des fêtes données en l'honneur des divinités. Celui qui préfère le stylet à la fronde... Pourquoi le vieux avait-il demandé à le voir ? Démétrios alla droit au but :

– Que me voulez-vous ?

– Tu as, paraît-il, une excellente mémoire… Et tu es un garçon curieux. C'est ce qu'on m'a dit. J'imagine que tu sais qui a fondé ton village ?

Démétrios haussa les épaules. Le dernier des abrutis le savait avant l'âge de cinq ans.

– Sikandar. Il s'est installé ici après qu'il a eu affronté Porus. Il est reparti et n'est jamais revenu.

– Et Sikandar… Enfin, Alexandre, que sais-tu de lui ?

Beaucoup et pas grand-chose, pensa Démétrios. Quelque deux générations après son passage, tout le monde parlait encore du conquérant. Mais qu'est-ce qui était vrai ? Qu'est-ce qui revenait à la légende ? Démétrios répondit sobrement :

– Alexandre était le maître du monde.

À cela, le vieux ne pouvait rien objecter.

– J'ai connu Alexandre. En fait, j'ai quitté la Macédoine avec lui. Et j'ai demandé qu'on m'envoie une jeune personne ayant une excellente mémoire pour que je lui raconte son périple, pour qu'il ne disparaisse pas avec moi.

Le cœur de Démétrios se mit à tambouriner dans sa poitrine. Un vétéran ! C'était la première fois qu'il en rencontrait un ! Le garçon oublia la chasse aux poules d'eau, coinça les plis de son pantalon bouffant sous ses fesses et ouvrit grand ses oreilles pour entendre ce que le vieil homme avait à lui dire.

– Le pays où Alexandre est né s'appelle la Macédoine, qui se trouve au nord de la Grèce. C'est un pays montagneux. Des lions vivent dans ses forêts. Le roi de Macédoine et père d'Alexandre s'appelait Philippe. Un jour, il tomba amoureux d'une certaine Olympias. Ce n'était ni la première ni la dernière de ses conquêtes. Il l'épousa et conçut Alexandre avec elle. L'enfant naquit le jour où le temple d'Artémis à Éphèse – une des sept merveilles du monde, qui en compte bien plus, crois-moi – fut incendié par ce fou dont j'ai oublié le nom. Les devins macédoniens y virent un mauvais présage. Ils avaient en partie tort et en partie raison, car le destin d'Alexandre fut bref mais flamboyant. Moi, je suis né la même année que le prince. Pas le même jour heureusement. Et dans les montagnes, pas dans le palais royal. Malgré tout, en grandissant et sans le rencontrer, j'entendais, comme tout le monde, les bruits qui couraient à son sujet et surtout au sujet de sa mère.

Le vieux rompit la galette et en mangea la moitié avec un peu de poisson séché avant de continuer.

– Olympias faisait peur. Elle aimait s'entourer de serpents. Elle en mettait même dans son lit. Philippe, qui ne craignait rien, se mit à trembler à ses côtés.

– C'était une magicienne ? demanda Démétrios.

– C'était surtout une mère possessive et assoiffée de pouvoir qui n'avait de cesse de prédire à son fils une vie digne des dieux. Dès qu'il fut en âge de l'entendre, elle affirma à Alexandre qu'il descendait d'Héraclès – celui des douze travaux – par son père et d'Achille par elle. Et ce n'était pas tout. Son père n'était pas Philippe mais Zeus Ammon, le dieu des dieux en personne. Quoi qu'il en soit... (Le vieux soupira.) Alexandre grandissait, apprenait, évoluait comme tout gamin de la haute société. Les précepteurs se succédèrent auprès de lui. Le premier lui apprit à endurer les privations et à se contenter de peu. Le deuxième à se battre, à courir, à écrire, à calculer. Le troisième, enfin, dont le nom est peut-être parvenu jusqu'à tes oreilles...

– Aristote ? essaya Démétrios.

– Oui, Aristote, le plus grand philosophe de la Grèce, forma Alexandre de sa treizième à sa vingtième année. Il lui fit découvrir Homère. D'ailleurs, il lui offrit un exemplaire de *L'Iliade* qui accompagna Alexandre jusqu'à son dernier souffle. Il l'initia à la Logique, à l'Histoire, à la Géographie. Mais surtout, garçon, il éveilla et cultiva le bien le plus précieux qu'Alexandre possédait au fond de son cœur: la curiosité. Cette curiosité qui le poussa à conquérir le monde pour tenter d'en découvrir les limites.

La plaine en contrebas était désormais plongée dans les ténèbres en dépit des feux humains qui s'allumaient ici et là.

– Je vis le prince pour la première fois à l'âge de seize ans. J'étais le montagnard qui venait à la grande ville pour s'engager dans l'armée royale. Lui, l'héritier du trône de Macédoine, allait donner la preuve publique de son indéniable talent. La scène se situait sur le marché aux chevaux. Un marchand voulait vendre un cheval fougueux à Philippe, qui n'en voulait pas. Une vraie rosse, tu peux me croire. Personne n'osait grimper sur la bête qui tournait, renâclait, donnait des coups de sabot dans le vide. Je me trouvais dans le public et je compris, comme Alexandre, de quoi le cheval avait peur: de son ombre. Alexandre l'approcha, le rassura et le chevaucha. Tous, nous l'acclamèrent, son père y compris. Alexandre sur Bucéphale paradait devant nous, dans toute sa splendeur, comme il paraderait sur les champs de bataille. Je m'engageai aussitôt dans l'armée de son père où l'on m'intégra à la Phalange.

– Et vous êtes parti vous battre contre le Grand Roi ?

– Holà ! Pas si vite ! Avant tout, il serait bon que tu apprennes pourquoi Philippe puis Alexandre se sont lancés à l'assaut de l'Asie. À moins que tu ne le saches déjà ?

Démétrios se racla la gorge car ce n'était pas la moindre de ses fiertés que de savoir ce genre de choses.

– Xerxès avait envahi la Grèce, cinq générations plus tôt, et dévasté l'Acropole à Athènes, récita le garçon. Depuis, les colonies grecques installées sur les rivages de la Méditerranée du côté asiatique payaient un tribut infâmant aux Perses. Darius était leur maître.

– Bien. Ils ne m'ont pas envoyé un Béotien, constata le vétéran. Mais que sais-tu de l'état de la Grèce à ce moment de son histoire ? (Démétrios resta coi car ses connaissances n'allaient pas jusque-là.) Les cités grecques étaient loin d'être unies mais presque toutes voyaient d'un mauvais œil la montée en puissance de Philippe de Macédoine. Pour les gens d'Athènes ou de Thèbes, macédonien voulait dire barbare. Des barbares qui leur montrèrent de quoi ils étaient capables lors de la bataille de Chéronée, la première à laquelle je participai et le premier coup d'éclat d'Alexandre. Voici ce qui arriva. Le sanctuaire de Delphes avait été profané. Les prêtres demandèrent à Philippe de châtier les sacrilèges. Thébains, Athéniens et Phocidiens s'allièrent contre nous. L'affrontement eut lieu à Chéronée, en Béotie. Alexandre avait dix-huit ans. Il dirigeait un escadron de deux cent vingt-cinq cuirassiers. Il chargea aux côtés de son père et enfonça le fameux bataillon sacré de Thèbes. Après cette victoire, les cités grecques signèrent la paix et Philippe fut placé à la tête d'une ligue chargée de libérer l'Asie Mineure du fameux joug perse. Pour son malheur... (Le vétéran ouvrit les mains et prit les étoiles à témoin.) La cour royale était un vrai nid de serpents, comme tous les lieux de pouvoir. Philippe avait une nouvelle femme – Cléopâtre – et Olympias enrageait. Cette Cléopâtre eut une fille. Elle pouvait par la suite avoir un garçon et Alexandre perdre son statut d'héritier, ce que sa mère n'acceptait pas... Le drame eut lieu alors que Philippe mariait sa fille avec le fils d'un souverain local. Un certain Pausanias le poignarda devant tout le monde. L'assassin fut rattrapé et crucifié. Mais Philippe était mort. Olympias avait désormais les mains libres. Elle fit égorger la fille de Cléopâtre dans les bras de sa mère avant de forcer celle-ci à s'empoisonner. Alexandre fut proclamé roi. Il avait vingt ans. Ainsi allaient les choses dans le royaume de Macédoine.

Démétrios sentit un frisson le parcourir en songeant à la noirceur de l'âme humaine. Mais le vieux qui continuait son récit capta à nouveau son attention.

– Ceux qui survécurent à la passation de pouvoir ne le durent qu'à une soumission totale à Alexandre. Trois mois après l'assassinat de son père, il parcourut la Grèce pour obtenir une reconnaissance semblable de ses voisins. D'Anthéla, il rapporta le titre de « Guide suprême de la Grèce », de Corinthe, celui de « Général dans la guerre contre la Perse ». De retour dans sa ville d'Aigéia et sûr de son pouvoir, Alexandre rendit enfin les honneurs à son père. Il déposa les jambières inégales du roi borgne et boiteux dans son tertre géant. Puis, au printemps, il donna le signal du départ de sa première véritable expédition.

– Contre le Grand Roi ? s'enflamma Démétrios.

– Bientôt, bientôt. Mais avant de se lancer vers la Perse, Alexandre devait assurer ses arrières. Il se lança donc vers le nord, sur quatre cents lieues de gorges, de steppes et de montagnes, nous mettant, nous, ses phalangistes, ses archers, ses artilleurs et ses compagnons, à l'épreuve. Ce que nous vécûmes lors de cette expédition – franchissement de fleuves en crue, passages de cols, manœuvres, assauts sanglants –, nous allions le vivre cent fois dans les douze ans à venir. Mais la campagne contre les Scythes et les Celtes fut le plus brillant baptême du feu dont soldat put jamais s'enorgueillir. A tel point que ces fourbes de Thébains n'y crurent pas et annoncèrent la mort d'Alexandre. Dès qu'il l'apprit, il fondit sur Thèbes. Il la rasa et réduisit ses habitants à l'esclavage. Puis, enfin… (Le vieux fit un clin d'œil à Démétrios.) Il donna le signal du départ pour l'Asie.

Une chouette hulula. Démétrios ne l'entendit pas. Car il se trouvait sur la Méditerranée, à des milliers de stades et des dizaines d'années d'ici.

– Les quelques Perses en poste sur les côtes ne durent pas en croire leurs yeux lorsqu'ils virent les deux cents trières et les quatre cents barges de transport apparaître à l'horizon. Ils coururent prévenir leurs satrapes et nous laissèrent accoster en Asie

Mineure. Parménion, le plus grand général de Philippe, supervisa le débarquement. Mais, avant que nous ne nous enfoncions dans les terres, j'aimerais être sûr que tu vois cette armée telle que je l'ai vue. Est-ce que tu entends la rumeur de ces cinq mille cavaliers, le piétinement des trente mille fantassins, l'entrechoquement des neuf mille porteurs de sarisses ? Les machines d'assaut sont en pièces détachées et posées sur des chariots. Le génie les accompagne. Suivent les bâtisseurs de ponts, les urbanistes, les compteurs de pas, les interprètes, les cartographes, les médecins, les devins, les embaumeurs égyptiens, les femmes, les enfants. Au total, près de cent mille personnes, un peuple en mouvement qui se porte vers celui que la moitié du monde redoute : Darius, le souverain asiatique.

À la mine que faisait Démétrios, le vétéran vit qu'il voyait, lui aussi, l'immense colonne humaine. Satisfait, il continua :

– Le premier geste d'Alexandre fut de se rendre à Troie en compagnie d'Hépaïstion, son compagnon le plus proche. Là, l'un et l'autre se placèrent sous la protection d'Achille et de Patrocle, les guerriers mythiques qui s'étaient juré de mourir l'un pour l'autre. Puis il lança... il nous lança à la rencontre de l'armée perse, qui s'était mise elle aussi en branle pour nous contrer. Le premier affrontement eut lieu de l'autre côté du Granique, à quelques stades de la côte. Dès qu'il eut la cavalerie perse en vue, Alexandre chargea. Sa fougue s'avéra payante. Les Perses se débandèrent. Darius s'enfuit. C'était une victoire. Mais elle n'était pas décisive. Il fallait avancer, prendre des villes, s'emparer de trésors, car les caisses seraient vite vides. Alexandre avait de l'argent pour payer sa machine de guerre pendant un mois seulement. Un mois, c'était peu pour rendre ce rêve de conquête tangible. Et pourtant, il y parvint. Comme il parvint à dénouer le nœud gordien.

– Le nœud gordien ? fit Démétrios qui n'en avait jamais entendu parler.

– À Gordion était conservé un char qui avait appartenu à Midas, celui qui changeait tout en or et qui en est mort, d'ailleurs. Le joug était lié au timon par un nœud que nul n'avait pu défaire. La légende disait que celui qui y parviendrait serait le roi de l'Asie. Alexandre se chargea de cette tâche d'un coup d'épée bien placé. (Et le vieux de couper l'air avec le tranchant de la main.) Folklore que tout cela… Les choses sérieuses étaient à venir, à Issos, toujours près de la côte, pour le deuxième affrontement contre

Darius. Le Grand Roi était tellement sûr de nous écraser qu'il s'y rendit avec sa mère, sa femme, ses enfants, ses eunuques et ses trois cent soixante concubines pour que sa cour assiste à notre défaite.

Démétrios arrondit les yeux. Darius avait plus de concubines que son village ne comptait de femmes en âge de se marier !

– Cette fois, Alexandre se tempéra et nous montra quel grand stratège il était. Je t'ai déjà parlé de la Phalange dont je faisais partie ? A l'origine, la Phalange est une tactique de combat thébaine. C'est Philippe, qui fut otage des Thébains, qui la rapporta en Macédoine. Elle consiste à placer des fantassins au coude à coude sur autant de rangées qu'on le désire. Alexandre aimait la composer d'une quinzaine de rangs. Les fantassins sont armés de sarisses, des lances en cornouiller longues de dix coudées qu'ils tiennent devant eux ou à la verticale selon leur rang. Ainsi, la Phalange est comme un énorme porc-épic ou un rondin de bois géant hérissé de métal. Une fois lancés sur l'ennemi, avec un sol ferme sous nos pieds, rien ne pouvait nous arrêter ! Et, alors que nous avancions, la cavalerie harcelait l'adversaire par les flancs, notre roi Alexandre chevauchant à sa tête pour montrer l'exemple. Frondeurs de Rhodes et archers crétois se chargeaient, quant à eux, de nous tailler la route ou d'achever le travail.

Démétrios remercia silencieusement le ciel de ne pas s'être trouvé en face de l'armée d'Alexandre sur un champ de bataille.

– Issos fut notre deuxième victoire. Darius s'enfuit avec quatre mille de ses cavaliers. Il abandonna derrière lui son camp, sa famille et une partie de son trésor. Ceux qui en Grèce pouvaient encore douter des Macédoniens se le tinrent pour dit. Mais il fallait avancer encore et toujours. Issos comme le Granique n'étaient que des étapes. Alors, nous avançâmes pour libérer ou prendre des villes et pour buter contre celle de Tyr.

Pendant qu'il parlait, le vieux dessinait dans le sable entre ses pieds la côte orientale de la Méditerranée, l'Égypte en bas, la Cappadoce en haut. Il marqua la ville rebelle de deux profonds sillons qui, sous les feux de la pleine lune, se noyèrent d'ombre.

– L'affrontement direct avec l'ennemi et le siège d'une ville sont deux faces d'un même drachme. D'un côté, tout peut se jouer en une journée. De l'autre, il faut compter en lunes. Tyr, bâtie sur une île fortifiée, commandait la flotte phénicienne. La prendre revenait à contrôler la Méditerranée orientale. Mais Tyr refusait d'ouvrir ses portes. Alors, les ingénieurs d'Alexandre entrèrent en action. Une digue fut construite pour relier l'île à la côte. Un travail de titan... Le vent d'Africus qui balayait le détroit jetait les ouvriers dans la mer. Et plus nous nous approchions des murailles, plus l'ennemi nous harcelait. Les habitants de Tyr faisaient rougir des boucliers d'airain, les remplissaient de sable brûlant et de fange bouillante et ils nous arrosaient avec. Ce feu de l'enfer transperçait armures et tuniques. Ceux qui n'avaient pu y échapper étaient happés par des mains de fer et emportés en haut des murailles, pour être jetés dans la ville et massacrés. Malgré cela, la digue fut achevée. Mais les murailles résistaient. Alors, Alexandre se tourna vers la mer. Il fit dresser une tour d'assaut plus haute que la colline sur laquelle nous nous trouvons. La tour fut posée sur deux navires accrochés l'un à l'autre. Les bateaux s'approchèrent des murailles. La tour déploya sa passerelle. Les voltigeurs se lancèrent au-dessus du vide...

– Les voltigeurs ?

– Un corps d'élite créé par Alexandre et constitué de montagnards macédoniens. D'ailleurs, je quittai la Phalange pour l'intégrer. Le voltigeur devait être fort comme un taureau et agile comme une chèvre. Ce qui était déjà mon cas à ton âge, mon garçon.

Démétrios le Chétif, comme on l'appelait parfois, ne fit aucun commentaire. La flagornerie, surtout liée à des exploits physiques, glissait sur lui comme de l'eau sur les plumes d'un canard.

– Tyr tomba. Huit mille de ses habitants moururent dans l'assaut final. Deux mille furent crucifiés. Le reste de la population fut cédé aux marchands d'esclaves. Et nous prîmes le contrôle de la Méditerranée.

Le vieux avala ce qui restait de galette et jeta le poisson à un chat qui miaulait en contrebas.

– Alexandre savait que Darius préparait ses troupes et que le troisième face-à-face serait décisif. Mais la mauvaise saison approchait. Nous n'avions d'autre choix que d'hiverner. Alors, nous continuâmes vers des terres faciles à conquérir, vers l'Égypte, en nous emparant au passage de Gaza et de ses stocks d'aromates et d'épices rares. Les Égyptiens haïssaient les Perses et ils nous accueillirent à bras ouverts. Alexandre rétablit les prêtres dans leurs ministères. En retour, ces derniers l'intronisèrent « Roi de Haute et Basse Égypte », « Maître de la

Sublime Porte», en un mot Pharaon, fils d'Ammon. Alexandre avait vingt-quatre ans. C'est en Égypte qu'il fonda sa première ville d'importance, selon les préceptes de son maître Aristote. Tu as sûrement entendu parler d'Alexandrie?

Démétrios acquiesça. Il avait aussi entendu parler de la fabuleuse bibliothèque qu'il rêvait de visiter un jour.

– C'est aussi en Égypte qu'Alexandre a interrogé son père.

– Vous m'avez dit qu'on l'avait assassiné?

Le vieux attrapa une cruche dans son dos. Il but un trait d'eau et en proposa au garçon, qui refusa. Démétrios avait soif de savoir, pas d'autre chose.

– En plein désert de Libye, dans l'oasis de Siouah, se trouve l'oracle d'Ammon Zeus qui parle au nom du dieu, expliqua le vétéran. Alexandre se rendit dans l'oasis avec une petite troupe dont je ne faisais pas partie. Mais on nous raconta... (Le vétéran planta ses yeux dans ceux de Démétrios, qui en frémit.) Crois-tu aux prodiges? (Il ne laissa pas le temps au garçon de répondre.) Moi, non. Je suis un soldat. Et pourtant... La pluie tomba dans le désert alors qu'Alexandre se mourait de soif et des oiseaux lui indiquèrent la route de l'oasis qu'il avait perdue.

Sans cela, il ne serait jamais arrivé au temple et nous ne l'aurions jamais revu.

Le vieux haussa les épaules, manière pour lui de clore le sujet du merveilleux ou de le laisser ouvert, au choix.

– En fait de temple, ils découvrirent un village fait de huttes. Les habitants étaient à moitié sauvages. Et l'idole d'Ammon Zeus n'était qu'une émeraude sertie d'autres pierres précieuses. Quoi qu'il en soit, l'oracle accueillit Alexandre comme son fils et... (Le vieux marqua une pause pour observer les étoiles.) Mais je vois qu'il se fait tard. Rentre chez toi. Nous continuerons demain.

– Quoi? s'indigna Démétrios.

Avec ses yeux mi-clos, le conteur affichait une mine rusée au possible. Le garçon lui dit en se levant:

– Vous ne bougez pas. Je reviens tout de suite.

Démétrios dévala la sente, s'engouffra comme une trombe dans sa maison, manqua renverser sa mère qu'il croyait couchée depuis longtemps.

– Tu n'es pas sur la colline? s'étonna-t-elle.

– Si, si. J'y retourne. Mais le vieux... enfin, le soldat qui me raconte son histoire à l'air de s'assoupir. Alors je me demandais si je pouvais emporter une cruche de... enfin, tu sais.

Démétrios remonta sur la colline avec une cruche de vin frais et deux gobelets. Le vétéran tapotait les étoiles du bout des doigts comme s'il cherchait à en tirer quelque son. Démétrios lui servit un gobelet de vin et en préleva un fond pour lui. Le vieux vida son gobelet et le reposa avant de reprendre le cours de son récit.

– Si nous continuons, nous verrons le jour se lever. Enfin, c'est comme tu veux. Et puisque ce vin se laisse boire...

– L'oracle, rappela Démétrios.

– L'oracle, oui. Alexandre lui demanda si tous les assassins de son père étaient morts, assassins parmi lesquels il ne comptait pas sa mère, bien sûr. L'oracle répondit à Alexandre : « On ne tue pas les dieux. » Ce qui veut dire ?

Démétrios se gratta le crâne.

– Que le père d'Alexandre n'était pas Philippe ?

– Mais Zeus, oui ! (Le vétéran grimaça.) Toutefois, Alexandre ne pouvait se satisfaire d'une réponse aussi ambiguë. Alors il demanda s'il était vraiment le fils de Zeus.

– Et ?

– Il eut la réponse. Nous, non.

Les épaules de Démétrios s'affaissèrent.

– Est-on sûr que l'oracle lui a répondu ?

– Que oui. Alexandre écrivit une lettre à sa mère, lui disant qu'à son retour il aurait quelque chose de très important à lui dire. Et comme il ne revint jamais en Macédoine, son secret disparut avec lui… L'oracle lui a révélé quelque chose, mais nous n'en saurons jamais rien. Dommage, tu ne trouves pas ? ricana le vieux singe. Mais avançons, avançons. Quittons cet oasis et tournons-nous de nouveau vers l'Orient. Car l'hivernage s'achève et l'Histoire n'attend pas.

Le vétéran s'étira et fit craquer ses articulations avant de reprendre :

– De retour de Siouah, Alexandre rassembla ses troupes à Memphis. De là, il remonta jusqu'à Tyr. Il organisa l'administration de ses nouvelles satrapies côtières, plaçant ses hommes aux postes clés pour assurer ses arrières. Puis il donna l'ordre de s'enfoncer vraiment dans les terres. L'Euphrate fut franchi et le Tigre, par une route épuisante où l'épouse de Darius laissa la vie. Nous approchâmes du face-à-face décisif. La plaine de Gaugamèles serait son théâtre. Il faut bien te dire que nous n'étions pas très rassurés. Et, la veille de l'affrontement, il y eut ce présage…

– Quel était-il ?

– La lune, pleine, se teinta de sang. Au petit matin, avant de charger l'armée ennemie qui bouchait l'horizon, Alexandre et ses devins eurent beau nous répéter que la Lune était l'astre perse comme le Soleil était notre emblème, que cette vision ne pouvait qu'annoncer leur déroute… nous n'en menions pas large. (Le vétéran cessa un instant de respirer.) Gaugamèles fut une véritable boucherie. Darius avait choisi le terrain pour déployer ses forces immenses. Il avait fait araser des collines. Ses chars étaient munis de faux aiguisées. Des éléphants marchaient devant ses fantassins. Ses cavaliers scythes et ses mercenaires grecs nous donnèrent dans cette plaine quelques leçons de courage. Mais nous fûmes, Alexandre en premier, les plus intrépides. Et il ne s'était pas trompé : Athéna Nykhé, la déesse victorieuse, était à nos côtés. Alala ! Alala ! Alala ! lança le vétéran vers les étoiles, faisant sursauter Démétrios. (Il passa ses mains devant ses yeux.) Je revois ces jambes de chevaux qui tapissaient la plaine, tranchées net par les lames asiatiques. Je revois nos hommes en morceaux ou agonisants. Je revois les mourants que leurs blessures ou le choléra emportèrent par la suite. Je revois ma sarisse s'enfonçant dans les poitrines…

Démétrios, fasciné, observait le vétéran sans oser bouger le petit doigt.

– Nous nous battîmes comme des fauves à un contre cinq mais nous étions victorieux avant que le soir tombe.

– Et Darius, il fut fait prisonnier ?

– Non. Parménion, qui tenait notre flanc gauche, était en difficulté alors qu'Alexandre poursuivait le Perse. Alexandre vint lui prêter main forte. Darius en profita pour s'enfuir.

– Quel était ce souverain qui détalait chaque fois comme un lapin ?

– Un souverain avisé qui remonta vers le nord, vers la Médie, pour organiser une nouvelle armée et tenter le tout pour le tout contre ce Macédonien au casque à crinière rouge et à aigrettes de plumes blanches, répondit abruptement le vétéran. Quoi qu'il en soit, Alexandre mit la main sur le trésor de Darius et il nous mena à Babylone, dont la route était désormais dégagée, pour y connaître l'apothéose.

En bas, au bord du fleuve, les grenouilles cessèrent de coasser. Le disque de vif-argent apparut et se mit à grimper dans le ciel nocturne. Il sembla à Démétrios qu'il n'avait jamais vu la lune avec une telle acuité. Les grenouilles se remirent à coasser et le vieux à parler.

– Nous fûmes accueillis à Babylone sur une allée de fleurs et de couronnes. Et nous y goûtâmes un repos que les dieux de l'Olympe nous envièrent sûrement. Alexandre avait battu Darius. Les comptoirs grecs d'Asie Mineure étaient libérés. Athènes et les autres cités ne pouvaient que s'incliner devant cette réussite totale. C'est dans la ville des villes qu'Alexandre fut sacré «Roi de l'Univers». (Le vieux vida son gobelet d'un trait.) Babylone était une sacrée ville, même si elle avait souffert du passage de Xerxès, qui l'avait autrefois soumise. Malgré les lézardes dans ses murailles, son enceinte restait un sujet d'émerveillement. Les palais de ces peuplades que l'on disait barbares faisaient ressembler nos châteaux macédoniens à des cabanes aux toits de chaume. Imagine une enceinte carrée de cent vingt stades de côté. Cent portes d'airain, chacune pouvant livrer passage à un attelage à quatre chevaux de front. Des tours ornées de statues d'or. Des jardins suspendus, œuvres de Sémiramis, rassemblant les plus belles essences du monde oriental dans un paradis de fraîcheur. Et cette colonne hydraulique qui montait l'eau de l'Euphrate à la plus haute terrasse et qui laissa Callisthène, le scientifique de notre expédition, pantois. Il se dépêcha d'écrire à son maître Aristote pour la lui décrire.

Et ce marché des femmes nubiles où Kratéros faillit perdre la tête. Et la tour de Bel, du haut de laquelle Alexandre, avec ses proches, se fit raconter par les astrologues un avenir triomphant et radieux. Et ces livres d'argile conservés dans les archives des temples…

Le vieux soupira au souvenir de ces merveilles vues avant que la chevauchée reprenne. Car il était écrit que seule la mort arrêterait Alexandre. Il voulut avaler un nouveau gobelet de vin. Mais il se ravisa.

L'orgie babylonienne avait duré un mois et il y avait appris la prudence.

– « J'ai régné et tant que j'ai vu les lances du soleil », cita-t-il. « J'ai bu, j'ai mangé, j'ai aimé, sachant combien il est court le temps que vivent les hommes et à combien de vicissitudes et de misères il est sujet. » (Finalement, il vida son gobelet.) Au début de cette nouvelle année, Alexandre aurait pu revenir sur ses pas ou, à tout le moins, s'installer sur le trône du roi des Perses et administrer son nouvel empire. Mais il préféra poursuivre Darius. Neutraliser le roi déchu, telle était sa nouvelle obsession. Les hommes, affaiblis par le vin, les femmes et l'inaction, furent remis à l'entraînement. Les bagages furent refaits. La colonne se reforma et nous laissâmes la somptueuse Babylone derrière nous.

La lune recouvrait la campagne d'un halo argenté. Les chasseurs au filet s'interpellaient à deux stades de là. Démétrios ne regrettait pas de ne pas avoir accompagné ses amis. N'était-il pas en train de chevaucher à une allure fantastique une monture plus rapide que le vent à la découverte de territoires qui leur étaient à tous parfaitement inconnus ?

– Nous quittâmes Babylone pour Suse, où le trésor d'Athènes, volé par Xerxès, nous attendait. Ainsi que cinquante mille talents. Quand on pense qu'Alexandre avait quitté la Macédoine avec deux cents talents dans ses caisses ! Puis ce fut Persépolis, la troisième capitale, qui se rendit sans se battre. Le trésor livra cent vingt mille talents. (Le vétéran changea de ton.) Mais Persépolis nous laissa un goût amer dans la bouche.

Du haut de ses onze ans, Démétrios haïssait les non-dits. Aussi demanda-t-il avec force en voyant que le vieillard hésitait à poursuivre :

– Dites-moi ce qui s'est passé.

Le vétéran grogna avant de reprendre.

– Les bruits qui nous précédaient n'étaient pas glorieux. Quand nous fûmes en vue de la ville, des familles entières se jetaient du haut des murailles pour échapper à ces monstres de Macédoniens venus les égorger. Il est vrai que la fièvre nous habitait. Nous ne buvions que du vin pur car l'eau était prétendument porteuse de mort... Prétexte d'ivrogne. Lors d'une de ces orgies dont nous avions pris l'habitude de marquer chacune de nos haltes et qui façonnait notre réputation, Thaïs, une courtisane de sang royal, nous entraîna à brûler le palais de Persépolis et à tuer les prisonniers. Alexandre, en la suivant une torche à la main, ne fit rien de moins que ce que d'autres barbares avaient fait avant nous et feraient après: détruire au lieu de construire.

Le vieux se gratta le haut du crâne. Il attrapa quelque chose dans les cheveux qui lui restaient, l'écrasa entre le pouce et l'index et l'envoya d'une pichenette voler dans la nuit noire.

– Mais nous n'avions pas le temps de regretter, de nous excuser, de réparer. Darius venait d'être signalé à Ecbatane, plus au nord. Il montait une armée pour nous couper la route de la Macédoine. Nous courûmes sur lui, suivis de milliers de chariots chargés d'or. Arrivés sur place, on nous dit que Darius avait filé vers l'est et les portes caspiennes. Avant de continuer la poursuite, Alexandre allégea son armée.

Les vétérans qui le désiraient reprirent leur liberté avec prime à la clé. Le trésor des Perses fut confié à Parménion, qui resterait à Ecbatane. Ne suivraient que les forces de frappe dont je faisais partie.

Des aboiements résonnèrent dans le lointain. Les chiens levaient les poules d'eau qui, tel Bucéphale effrayé par son ombre, voleraient bas et se précipiteraient vers les filets par dizaines en cette nuit de pleine lune.

– Plus légers, plus rapides, nous fonçâmes vers les portes caspiennes. Un peu au-delà, nous trouvâmes Darius assassiné. Bessos, le satrape de Bactriane qui accompagnait le souverain, son dernier « ami », l'avait fait enfermer dans un chariot en l'entravant avec des chaînes d'or pour le ridiculiser. Nous voyant approcher, il avait libéré son prisonnier en lui ordonnant de fuir comme il avait si bien fui au Granique, à Issos, à Gaugamèles, à Ecbatane. Darius refusa et fut exécuté. C'est près de son cadavre, en entendant les ordres que donna alors Alexandre, que nous comprîmes à quel point notre guide avait irrémédiablement changé.

– Comment cela ?

– Celui qui avait quitté la Macédoine avec mission donnée par la ligue de Corinthe d'éliminer l'ennemi perse n'était que le roi de Macédoine animé par la vengeance d'un peuple contre un autre. En retrouvant Darius, Alexandre ordonna de faire momifier son corps et de l'envoyer à sa mère, vers l'arrière. Et il nous lança aux trousses de Bessos.

– Ce Bessos était vraiment dangereux ?

– Il dirigeait la Bactriane, la région la plus orientale de l'Asie pour les géographes d'alors. S'il parvenait à s'allier la Sogdiane, à rassembler assez de cavaliers des steppes... Les cavaliers kahaï du Karakoum au nord et les Massagètes du Kizilkoum étaient féroces. Mais le problème n'était vraiment pas là. À Babylone, Alexandre avait été sacré roi légitime des quatre parties du monde. Il était l'héritier du royaume d'Asie et plus seulement de la Macédoine. Désormais, il n'aurait de cesse d'éliminer ceux qui lui contesteraient ce titre. Autant dire que ce combat serait sans fin.

Un nuage voila la lune, les plongeant tout à coup dans l'obscurité. Même s'il faisait très doux, Démétrios regretta de ne pas s'être muni d'une couverture pour la serrer autour de ses épaules.

– Les trois ans qui suivirent, nous luttâmes presque sans discontinuer. Il fallut d'abord conquérir les abords de la mer Caspienne. Puis tenter de rejoindre Bactres, où Bessos venait de se déclarer Artaxerxès, soit roi à la place du roi. Le désert du Karakkum aux sables noirs qui nous en séparait était infranchissable, même pour Alexandre. Alors il fallut redescendre vers le sud, soumettre les roitelets de Drangiane rangés du côté de Bessos, remonter vers la haute vallée du Panjir pour atteindre Bactres, d'où Bessos s'était enfui. Et continuer encore et encore. Traverser l'Oxos en crue et bouillonnant... Souffrir du froid et de la fatigue. Tout cela pour attraper un prince félon, lui trancher le nez et les oreilles, le fouetter comme un chien et l'envoyer à Ecbatane, où il fut mis à mort. (Le vieux baissa le ton, comme si l'ombre les écoutait.) Où allions-nous ? Qui suivions-nous ? Nous commencions à douter. Des rumeurs circulaient de tente en tente. La Macédoine nous paraissait si lointaine. La plupart d'entre nous y avaient laissé femmes et enfants. Nous avions vaincu Darius et son soi-disant successeur. Pourquoi s'obstiner dans ces montagnes inhospitalières ? Certains d'entre nous se posèrent la question, dont Philotas, compagnon de la première heure et fils de Parménion. D'après ce que l'on nous dit, Philotas conspirait pour tuer Alexandre. En fait, rien ne permit de le prouver. Et pourtant, Alexandre le fit exécuter et les traîtres avec qui il s'était prétendument affidé. Quant à son père, qui avait servi Philippe avant de servir Alexandre... En vertu de la loi macédonienne qui rend les parents responsables des actes de leurs enfants, Parménion fut exécuté lui aussi dans son palais d'Ecbatane.

Le vieux ouvrit et ferma alternativement des mains aux doigts tordus par le port de l'épée.

– La nature est un assemblage de forces antagonistes, attractions, répulsions entre les choses et les êtres. Ainsi parlait Aristote. De même, la nature a horreur du vide. Bessos vaincu, un nouveau contradicteur se présenta. Son nom était Spitaménès. Il souleva la Sogdiane contre nous, aidé par les prêtres zoroastres, qui n'avaient pas aimé voir Persépolis pillée et incendiée. Pour les mages, Alexandre n'avait rien d'un bienfaiteur. Il était l'incarnation d'Arhiman le Maudit. Et il fallait le combattre sans relâche. Les cavaliers scythes de Spitaménès étaient vraiment incroyables. Ils surgissaient de nulle part, juchés à deux sur un cheval, sautaient à terre, décochaient leurs traits et s'évanouissaient dans les montagnes, qu'ils connaissaient comme leurs poches. Nous leur avons payé un lourd tribut et Alexandre aussi, qui, plus que jamais, s'exposait en première ligne. À croire qu'il défiait les dieux de l'arrêter maintenant qu'il était allé aussi loin. Course folle au terme de laquelle les Scythes s'inclinèrent. Nous étions tellement montés vers le nord que nous pensions avoir atteint le pôle. En fait, depuis l'emplacement où Alexandre fonda Alexandrie Eskhaté ou l'Ultime, on voyait des terres derrière les terres et encore des montagnes.

Démétrios frémit. Ce vieillard lui mettait les nerfs à vif, comme sa nourrice lorsqu'elle lui racontait des histoires de Gorgones quand il était petit.

– Alexandre connaissait le nom de beaucoup d'entre nous. Mais nous n'avions jamais eu l'occasion de parler, lui et moi. Cela arriva alors que je faisais le tour des remparts d'Eskhaté, une nuit comme celle-là... (Le vieux eut un mouvement de tête vers les environs.) Une bonne partie de notre troupe s'était enrichie d'Asiatiques depuis que nous avions quitté Babylone. Parmi eux, des Sogdiens qui refusaient d'abandonner leurs coutumes barbares comme celle d'abandonner les cadavres humains en dehors des villes, en les jetant par-dessus les enceintes. Je sondais le fossé à l'affût de quelque macabre découverte en essayant de me remémorer le goût des raisins de Corinthe, la beauté de la

Méditerranée et des sanctuaires macédoniens lorsqu'Il m'aborda, vêtu de son dolman pourpre. Je mis la main droite devant ma bouche pour me présenter, usage qu'il avait demandé à ses compatriotes de mettre en pratique depuis qu'il était roi d'Asie. Certains avaient refusé, prétextant leurs origines aristocratiques.

– Comment était-il? voulut savoir Démétrios, qui, par l'intermédiaire du vétéran, rencontrait finalement Alexandre pour la première fois.

Le vieux chercha la formule adéquate avant de répondre, lapidaire:

– Il était beau. Et petit, malgré ce qu'on peut penser. Je le dépassais d'une tête. Il s'enquit de mes origines. Il se souvenait de moi pour m'avoir vu maintes fois sur les champs de bataille, sur la passerelle de Tyr, dans la colonne qui avait parcouru la moitié du monde connu depuis son départ. Je lui dis mon nom et celui de mes parents. Alors, il eut cette façon de pencher la tête sur le côté gauche et il me dit: «Sois heureux. Tu sais d'où tu viens. Moi, je ne le saurai jamais.» «Mon roi, lui répondis-je, et je savais qu'il parlait de ses origines incertaines – homme, demi-dieu, dieu, personne n'aurait joué la réponse aux dés –, si vous ne savez d'où vous venez, savez-vous seulement où vous allez?» Je ne faisais pas partie de l'aristocratie macédonienne. Sinon, il se serait méfié de moi et il aurait réservé sa réponse. Mais il dit: «Je vais où se terrent les dieux pour les faire parler.» Il mit une main sur mon épaule, la serra et se fondit dans l'ombre. Aussi étrange que cela puisse paraître, je savais qu'une amitié impossible venait de naître entre nous et que je le suivrais jusqu'au bord de l'Érèbe s'il le fallait, ne serait-ce que pour entendre ce que les immortels auraient à lui dire. D'ailleurs, ajouta le vétéran, badin, après un silence, il nous suffit de nous enfoncer dans le pays de Gazaba pour en rencontrer un quelques semaines plus tard.

– Un quoi?

– Un immortel, pardi! Sois attentif, gamin! Je ne te répéterai pas cette histoire.

Ils ont rencontré un immortel? se dit Démétrios. Dans quelle contrée le vétéran était-il en train de l'emmener?

– Nous avancions depuis trois jours dans une vallée sans écho lorsqu'un orage de fin du monde nous enveloppa, et la grêle et un vent venus tout droit du pays des glaces. En un instant, bêtes et hommes désemparés tournaient en rond et se cognaient dans la tourmente. Une forêt recouvrait les pentes du vallon dont nous étions prisonniers. Certains y virent un refuge et se collèrent aux arbres pour se protéger. Le lendemain, nous en retrouvâmes mille, liés à l'écorce par la glace, les yeux ouverts, debout comme il se doit pour épouser la mort. Il n'y avait qu'un moyen pour nous sauver. Alexandre nous ordonna de l'appliquer. « Abattez les arbres ! Amassez-les au cœur de cet enfer ! Et allumons un brasier ! » Chaque cavalier, compagnon, soldat sortit sa hache et attaqua le domaine des Sylves. La forêt tombait alors que le ciel hurlait à nos oreilles que nous n'y arriverions pas. Si jamais nous parvenions à allumer notre fagot, il l'éteindrait sous une pluie digne du premier déluge. Nous ne nous battions plus contre des nomades ou des Perses à pied ou à cheval mais contre des dieux. Alexandre se trouvait à mes côtés. Il me fit signe de le suivre et nous grimpâmes le flanc de la montagne sur une distance que je fus incapable d'apprécier. Cinglé par la neige de front, de dos et de côté, j'avais perdu tout repère. Alexandre, lui, paraissait savoir où il allait. Car il nous mena à une caverne énorme dans laquelle notre armée aurait pu tenir. « Formidable ! m'écriai-je en la découvrant. Allons chercher les

Quinte-Curce est, en soi, une énigme. Il aurait vécu sous le règne de l'empereur Claude, à Rome, ou sous celui de Vespasien – donc vers les Ier-IIe siècles après Jésus-Christ. Sa seule œuvre (utilisée ici pour les légendes) qui soit parvenue jusqu'à nous est l'*Histoire d'Alexandre*. Et encore, mutilée. Sur les dix livres qu'elle comptait, les deux premiers sont manquants. Dans ce qui a survécu, ici et là demeurent des lacunes. Et la critique s'est attachée à souligner que cette relation n'est pas exempte d'erreurs géographiques ou chronologiques. Il n'empêche, sa biographie a fait date et demeure, pour les esprits férus d'histoire et d'aventure, le meilleur moyen de découvrir le conquérant. Il s'agit bien d'une biographie romancée telle qu'Alexandre, qui rêva sa vie autant qu'il la vécut, l'imaginait peut-être. En mêlant le fait d'arme à la légende, Quinte-Curce a su montrer les deux facettes de ce roi du monde qui voulait être un dieu.

Tête d'Alexandre le Grand (IIe siècle avant Jésus-Christ) **et tétradrachme de Lysimaque** (environ 300 avant Jésus-Christ)

« Ce qui prouvera que tu es né d'un dieu, ce sont la grandeur et le succès de tes entreprises. Jusqu'à présent tu étais invaincu. Désormais, tu seras à tout jamais invincible. »

Prophétie du prêtre d'Ammon à Alexandre rapportée par Quinte-Curce

Alexandre à la bataille d'Issos (en Turquie) (mosaïque, Ier-IIe siècles avant Jésus-Christ)

« Des flots de sang coulèrent alors. Car les deux armées se touchaient de si près, que les armes se croisaient, et que les coups ne pouvaient s'adresser qu'au visage. Le timide et le lâche n'avaient point là le pouvoir de reculer : pied contre pied et comme en un combat singulier, ils restaient attachés à la même place, jusqu'à ce qu'ils se fussent ouvert un passage vers la victoire. »

Quinte-Curce

Danube
Mer Noire
macédoine
PELLA
bataille du Granique
asie mineure
bataille d'Issos
bataille de Gaugamè
Euphrate
Tigre
Mer Méditerranée
Tyr
BABYLONE
Oasis de Siouah
itinéraire d'Alexa
empire
Nil
Mer rouge

Mer d'Aral
Oxus
?
Grotte de Prométhée
Les 12 stèles
Parthie
Indus
Drangiane
Perse
persique
Mer d'Oman

Imaginons Alexandre parler à ses troupes

(Photos extraites du film *Alexandre*, d'Oliver Stone, 2004)

«Je ne vous demanderais pas de vous battre vaillamment si moi-même je ne donnais l'exemple de la vaillance. Vous me verrez combattre en tête des premiers rangs. Mes cicatrices répondront pour moi. Mais les fruits de la victoire seront pour vous, soldats macédoniens! Nous avons parcouru tant de vastes espaces, laissé derrière nous tant de fleuves et de montagnes. Il n'y aura de retour dans notre patrie et au sein de nos pénates que le cœur victorieux et le fer à la main.»

Entrée d'Alexandre le Grand dans Babylone

1. Charles Le Brun (huile sur toile, vers 1673)

2. Photo extraite du film *Alexandre*, d'Oliver Stone, 2004

« Le gardien des trésors de Darius avait fait joncher toute la route de fleurs et de couronnes et dresser, de chaque côté, des autels d'argent, où fumaient, avec l'encens, mille autres parfums. À sa suite étaient de riches présents : des troupeaux de bétail et de chevaux, des lions et des léopards enfermés dans des cages ; puis les mages chantant leurs hymnes nationaux. Le roi entra dans la ville monté sur un char et se rendit lui-même au palais. »

Quinte-Curce

Photo extraite du film *Alexandre*, d'Oliver Stone, 2004
« Ce qu'il y avait de plus effrayant, c'était de voir les éléphants saisir avec leur trompe les armes et les hommes et les livrer par-dessus leur tête à leur conducteur. Cette lutte incertaine prolongea bien avant dans la journée la fortune changeante du combat jusqu'au moment où, avec des haches, l'on se mit à leur couper les jambes. »

Quinte-Curce

Sarcophage dit d'Alexandre le Grand
(IVe siècle avant Jésus-Christ, marbre)
« Il ôta son anneau de son doigt et le remit à Perdiccas en y joignant l'ordre de faire porter son corps au temple d'Ammon. On lui demanda à qui il laissait l'empire. "Au plus fort", répondit-il. Perdiccas, ayant demandé quand il voulait qu'on lui rendit les honneurs divins : "Lorsque vous serez heureux." Ce furent là ses dernières paroles. »

Quinte-Curce

autres!» «Je t'ai amené pour regarder, pas pour parler», me dit mon roi. À partir de ce moment, je me tus, car tel était son désir.

Le vétéran resta silencieux quelques instants. Démétrios, suspendu à ses lèvres, craignit qu'il n'applique le commandement royal un peu trop à la lettre.

– Par une magie que je ne saurais t'expliquer, la roche qui composait cet antre formidable nous baignait dans un halo bleuté. Nous nous y enfonçâmes comme dans un rêve, laissant la tourmente derrière nous, mais sentant plus précisément à chaque pas une odeur de sang et de sueur devenir plus forte que celle que nous avions sentie sur les champs de bataille. Était-ce une entrée de l'enfer? Ces effluves fétides, la triple haleine de Cerbère? Je n'étais pas loin de m'enfuir lorsque nous le vîmes, enchaîné au fond de la grotte. Il faisait dix pieds de haut et geignait à cause de la douleur.

– Un géant?

– Pas un, mais, Le géant, qu'Alexandre immédiatement, appela par son nom. «Prométhée, commença-t-il. Mon armée est assaillie par une tempête. Je cherche le feu sacré pour sauver mes hommes de la tourmente. Aide-nous, je t'en supplie.»

– Prométhée… Celui qui avait donné le feu aux hommes ? s'exclama Démétrios.

– Et pour cela enchaîné par Zeus entre le Tartare et le Caucase, condamné à voir son foie rongé par un rapace fabuleux, jusqu'à la fin des temps. D'ailleurs, son ventre était une plaie vive et son visage, crispé par la souffrance, contrastait avec sa voix d'une douceur extrême. Je ne pus m'empêcher de maudire le dieu des dieux de s'être montré si cruel et brandit mon épée pour attaquer les chaînes. « Ton compagnon est plein de bonnes intentions, dit le Déchu. Mais Héraclès a déjà essayé de les trancher sans y parvenir malgré ce que les textes ont raconté à ce sujet. (Il porta son attention sur Alexandre.) Alors voilà celui dont le nom parcourt le monde. » « Oui. Je suis Alexandre dont le nom signifie protecteur des hommes », se présenta le roi. Car telle était en effet la signification de son nom. Prométhée tira sur ses chaînes. « Moi, j'étais le bienfaiteur. Vois où cela m'a mené. » Le conquérant et le géant se contemplèrent en silence. Prométhée le rompit. « Une façon simple de sauver tes hommes serait de faire demi-tour. » « Hors de question. » « Ah, tu ne peux pas t'arrêter, fit mine de comprendre l'enchaîné. Tu cherches. Et tu n'arrêteras ton char aux roues d'or qu'au moment d'avoir trouvé. »

– Mais il cherchait quoi ? intervint Démétrios, en proie à une vive excitation.

– Cesse de m'interrompre ou j'arrête mon récit et je te renvoie à ton père.

– Mon père a succombé à la fièvre des marais alors que j'avais deux ans, répondit durement Démétrios, s'en voulant aussitôt de se mettre ainsi en avant alors qu'il avait pour simple fonction d'écouter.

Un voile de compassion passa sur le visage du vétéran. Il reprit, sur un ton un peu moins rogue qu'auparavant :

– Que cherchait Alexandre ? Nous étions des milliers à nous poser la question. Même Prométhée l'ignorait. Alors le géant lui raconta l'histoire du trésor caché. Je ne sais pas si tu la connais... (Démétrios, lèvres scellées, fit non de la tête.) Prométhée commença par ces mots : « L'action peut se situer en tout pays et en tout temps. Mettons qu'elle soit arrivée en Macédoine, il y a de cela six ans. » J'essayai de surprendre une réaction sur le visage d'Alexandre debout à mes côtés. Mais son profil était aussi figé que celui des médailles sur lesquelles il s'était fait représenter. « Le fils d'un modeste marchand, reprit Prométhée, fit un rêve qui lui montrait une ville lointaine, une maison dans cette ville, un jardin dans la maison, reconnaissable aux roses noires qui y poussaient, un puits dans ce jardin et dans ce puits un trésor. La voix qui lui chuchota ce rêve lui dit, avant de le réveiller : pars maintenant et le trésor sera à toi. Ce qu'il fit. Il ferma sa modeste maison à clé et prit le chemin de la ville étrangère. Mais la route était longue et dangereuse. Il faillit y perdre la vie vingt fois. Et c'est presque nu, misérable pour avoir été dépouillé par des brigands et déprimé au plus haut point que le fils du marchand atteignit enfin la ville de son rêve. Mais elle était comme les autres villes, amie des riches et ennemie des pauvres. Ceux à qui il demandait où il pourrait trouver un jardin avec des roses noires lui claquaient leur porte au nez ou le traitaient de fou. Le fils du marchand s'endormit sur un banc, pleurant amèrement d'avoir suivi cette vision trompeuse. La maréchaussée embarqua le vagabond et les coups de bâton réglementaires lui furent administrés. Néanmoins, il ne ressemble pas aux épaves habituelles, se dit le fonctionnaire chargé de protéger le sommeil de ses concitoyens. Il interrogea le fils du marchand qui lui raconta tout : son rêve, son périple, sa désillusion. Le fonctionnaire éclata de rire. Il n'avait jamais entendu d'histoire aussi sotte ! Lui-même ne rêvait-il pas régulièrement de cette maison dans cette ville étrange, avec ce jardin et ce puits aux têtes de lion sculptées dans lequel avait été jeté autrefois un sac empli de pièces d'or ? Franchement, pour croire dans les rêves, il faut être fou, enfant ou les deux à la fois. Comme le fonctionnaire n'était pas mauvais bougre, il donna quelque argent au fils du marchand, qui racheta de quoi se vêtir et prit le chemin du retour sans tarder. Lorsqu'il retrouva enfin sa ville, il alla droit à sa maison, la traversa pour se rendre dans son jardin et descendit avec une échelle au fonds de son puits sculpté de têtes de lion pour y retirer le sac plein de pièces d'or. Ainsi, grâce au rêve d'un autre, il devint très riche et il vécut sans souci jusqu'à la fin de ses jours. » (Le vétéran se servit un verre de vin et demanda :) Saisis-tu la parabole ?

– Il est inutile de chercher ailleurs ce que l'on peut trouver chez soi, essaya Démétrios.

– Juste, mon garçon. Et, concernant Alexandre, il courait après une chimère. Ou la chimère d'Olympias. Mais le roi ne paraissait pas impressionné pour autant. Il serrait les mâchoires comme je l'avais vu faire à l'approche des combats. « Ton histoire est édifiante, répliqua-t-il. Mais dehors, mes hommes meurent. Et ce n'est pas une fable qui les sauvera.» Prométhée n'eut pas l'air surpris de son obstination. «Ils sont déjà sauvés, répondit-il. Zeus a eu pitié de vous. La foudre est tombée sur l'empilement de troncs d'arbres et tes hommes se réchauffent à la chaleur du brasier.» Alexandre n'attendit pas. Il se leva, s'inclina et nous prîmes congé de l'enchaîné. Une fois dehors, la tempête qui avait baissé d'intensité me permit de voir un oiseau géant s'engouffrer dans la caverne. Des cris nous en parvinrent. Nous nous éloignâmes rapidement.

Le vieux se mit à frotter vigoureusement ses épaules. Il se leva et commanda :

– Prépare-nous du feu. Tu trouveras ce qu'il faut sous ma tente pour le faire.

Il quitta la terrasse pour soulager sa vessie. Démétrios se glissa sous la tente. Les effets du vétéran étaient rangés au carré. Démétrios ne fit que les survoler du regard, n'osant toucher à quoi que ce soit. Il vit une épée, une rondache cabossée, un casque à cimier, une cassette de bois précieux rehaussée d'or...

Un fagot de petit bois, de brins de paille et de bandes de lin, avec son briquet et un morceau d'amadou, était posé à côté de l'entrée. Démétrios, s'en saisit et sortit de la tente pour s'atteler à la tâche. Un feu joyeux crépitait sur la terrasse lorsque le vieux revint. Il s'assit et tendit les mains par-dessus pour les réchauffer. Démétrios constata qu'une bonne partie de la nuit était passée sans qu'il s'en rende compte. Il avait hâte de connaître la suite de l'épopée.

– Ce Spitaménès. Vous avez réussi à l'arrêter ?

– Ce sont les Massagètes qui nous ont envoyé sa tête.

– Ah bon. Alors rien ne vous retenait de marcher vers l'Inde.

Donc vers ici, ajouta pensivement Démétrios en observant les stèles autour d'eux.

– En effet, rien ne nous retenait et Alexandre, après sa rencontre avec Prométhée, fut plus que jamais pressé. Ce qu'aurait critiqué Aristote, qui préconisait la mesure en toute chose. Nous hâtâmes le pas vers ces régions que l'on disaient habitées par des monstres et qui se trouvaient au bord du monde. Nous étions dans une sorte d'ivresse joyeuse, jonglant comme des suivants de Dyonisos, entre raison et folie.

Le vétéran, qui passait lentement sa main sur le feu, ne paraissait pas sentir les flammes lécher ses doigts. Démétrios le regardait faire, fasciné. Était-il donc fakir en sus d'être conteur ? Le vieux cessa ce petit jeu dangereux et fixa Démétrios plus intensément qu'il ne l'avait fait depuis le début de son histoire.

– Est-ce le fait d'avoir croisé la route d'un immortel ? Après l'épisode de Gazaba, Alexandre nous montra qu'il n'était rien d'autre qu'un homme, capable du meilleur comme du pire. La mort de Kléitos, un de ses plus vieux compagnons, fut, en cela, édifiante. Kléitos avait combattu auprès de Philippe avant qu'on le charge de protéger Alexandre. Il lui avait sauvé la vie à la bataille du Granique en recouvrant sa tête de son bouclier. D'ailleurs, Kléitos était plus qu'un compagnon. C'était aussi le frère de lait d'Alexandre. Ce qui lui donnait parfois le droit de dire tout haut ce que tout le monde pensait tout bas.

Le vieux dérangea le feu avec une branche, faisant s'envoler vers le ciel un cortège d'étincelles.

– C'était lors d'une de nos beuveries. Alexandre venait de confier le gouvernement de la Sogdiane à Kléitos lorsque ce dernier, pris par le vin, renvoya à la figure d'Alexandre qu'il était difficile de considérer la conduite d'un tel gouvernement comme une promotion. La Sogdiane était et resterait une terre de sauvages. Qu'il s'en occupe, lui, le « Dieu vivant », comme il aurait voulu qu'on l'appelle. Le ton monta vite. Trop vite. Des compagnons voulurent s'interposer. Mais la fougue d'Alexandre se mua en colère. Kléitos venait de lui rappeler qu'il devait sa victoire à son armée et non à ses propres hauts faits, comme il le prétendait. Et le fidèle Parménion avait été exécuté comme le dernier des malfaiteurs... Alexandre ordonna à Kléitos de s'excuser, au lieu de quoi il répliqua : « Je dis plus de vérité à mon roi que le dieu son père ne lui en a dit par la bouche d'Ammon. » Ce qui revenait à frapper Alexandre à son talon d'Achille : le sujet de son affiliation divine. Ivre de fureur, Alexandre s'empara d'une lance et en transperça le flanc de Kléitos. Le silence qui s'ensuivit fut terrible. Comprenant ce qu'il venait de faire, Alexandre s'effondra sur le cadavre de son vieil ami. Puis il se retira sous sa tente, trois jours entiers.

Des branchettes furent ajoutées dans le feu et y crépitèrent joyeusement. Le vétéran médita un moment puis reprit sur un ton égal :

– Je te décris un conquérant abruti par le vin, orgueilleux, sourd et aveugle. Maintenant, écoute ceci. Un peu avant ou après cet épisode tragique, ma mémoire me joue des tours, nous nous attaquâmes à un véritable nid d'aigles, une forteresse imprenable. Alexandre nous harangua, nous, le corps des voltigeurs macédoniens, enfants de la montagne et compagnons du vide. Avant son discours, pas un ne se serait lancé à l'assaut de la muraille. Mais, à l'écouter, nous nous sentions comme des géants prêts à attaquer le domaine des dieux. Alexandre avait le don de nous dire : « Il n'y a rien d'impossible. » Et il avait raison. Car nous prîmes ce rocher et le butin qui s'y trouvait. Quant à Lui... (Le vétéran sourit.) Il y trouva le bien le plus précieux que tout homme ou dieu rêva de posséder. Et il ne se priva pas pour faire cette chose sienne.

– Un diamant ? Une bague magique ? Une épée infaillible ? énuméra Démétrios.

– Roxane dite la radieuse.

Le vieux contempla la Lune, maîtresse des femmes et des marées, tout en pensant à celles qu'il avait laissées derrière lui.

– Roxane était très belle et très fière, telle qu'on peut imaginer une princesse de ces contrées. Rétive comme Bucéphale avant qu'Alexandre ne le monte mais douce comme un bubale. Des yeux noirs dans un visage d'ange. Notre tueur de lions et de tigres était tombé dans le plus délicieux des pièges, celui de l'Amour, dont aucun médecin, sauf le Temps, ne peut guérir. Une princesse macédonienne aurait mieux convenu aux compagnons. Mais Alexandre n'avait cure de leurs murmures. Il épousa Roxane avec la vision de la Macédoine épousant ainsi l'Asie. Par ce mariage fruste, sans pompe, dans la montagne, concrétisé par la rupture d'un pain, à la mode sogdienne, Alexandre accomplit ce qu'il s'était promis d'accomplir en arrivant à Babylone : ramener les deux parties du symbole autrefois brisé, faire que l'Asiatique et l'Européen s'entendent. Car ce n'était pas le moindre des paradoxes de cet homme étonnant que de verser le sang en espérant réconcilier les peuples.

Le vieux marqua une pause avant de reprendre sur un débit plus précipité :

– Après une nouvelle marche à travers l'Hindu Kuch et de nouveaux combats, nous n'étions pas moins puissants qu'à notre débarquement en Asie Mineure. La colonne comptait cent vingt mille personnes. Nous avions des dromadaires, des éléphants, des machines de guerre et des bateaux en pièces détachées. Alexandre avait fait revêtir nos boucliers d'argent. Les mors de nos chevaux étaient d'or. On disait que les souverains indiens étaient riches au point d'équiper leurs soldats de boucliers d'or et d'ivoire. Dans la nouvelle optique du conquérant, il convenait de montrer que nous ne venions pas pour piller, mais pour rassembler. Nous n'étions pas une horde sans foi ni loi, mais un peuple en marche venu partager savoir et coutumes. C'était là le discours officiel. En réalité, les exactions étaient nombreuses. Des dizaines de villages furent rasés sans que les arpenteurs aient le temps de les reporter sur leurs cartes. Et la révolte, encore une fois, grondait. Une conspiration du corps des cadets échoua grâce au talent d'une devineresse. Ceux qui avaient planifié la mort d'Alexandre furent torturés et abandonnés aux vautours comme Prométhée dans sa caverne. Les vieux Macédoniens ne supportaient pas que des nobles de Sogdiane ou de Bactriane, d'anciens sujets de Darius, intègrent sa garde rapprochée. Il leur était même demandé de s'incliner devant eux! Les mots d'ordre entre certains vétérans étaient: composer et attendre. Mais plus d'un, et j'en fis partie, je l'avoue, regardait avec nostalgie par-dessus son épaule, vers l'Occident alors que le conquérant restait obstinément tourné vers l'Orient, vers le bord du monde inhabité plein de monstres mais aussi, très certainement, de merveilles.

Les grenouilles cessèrent à nouveau de coasser. L'aube approchait. C'était généralement l'heure à laquelle Démétrios se réveillait. Et avoir passé la nuit à voler au-dessus du monde le laissait un peu étourdi et indécis sur la nature des choses. Un gobelet de vin frais lui remit les idées en place et, provisoirement tout du moins, les pieds sur terre.

– Notre première halte en Inde fut Nysa, où Alexandre décréta une fête bachique en l'honneur de Dionysos, qui avait garni les coteaux de ce paradis de vignes généreuses. (Le vétéran ricana.) Nous y perdîmes un tantinet l'esprit à danser la phalangite, des couronnes de laurier sur la tête.

– La phalangite ? Qu'est-ce que c'est ?

En guise de réponse, le vieux déplia sa carcasse bien plus imposante qu'il n'y paraissait et se mit à frapper du pied, en cadence, portant une sarisse imaginaire, des sons gutturaux s'échappant de sa gorge.

Il ressemblait aux sages qui s'arrêtaient parfois au village pour demander l'aumône et qui effrayaient tant Démétrios enfant, avec leurs contorsions, leurs peintures corporelles et leurs mélopées inquiétantes. Le vétéran cessa sa pantomime en voyant que son public était plus inquiet qu'admiratif.

– Nous nous étions emparés des palais de Darius faits de cèdres du Libanon, de tecks du Gandhara, de colonnes d'Abiradesh, emplis d'or, de lapis-lazuli, de cornaline et d'ivoire d'Éthiopie. Et nous arrivions au pays des cyclopes, des fakirs et des fourmis chercheuses d'or. Des nuages de parfums accompagnaient-ils les rajahs? Des vignes d'or entouraient-elles les colonnes de leurs palais? Les fleuves charriaient-ils émeraudes et rubis? Nous répondrions bientôt à ces questions qu'Hérodote s'était posé... Et Aristote après lui... Et Alexandre qui se croyait tout près d'atteindre le grand Océan qui ceinture le Monde.

Le vieux dessina un rond devant lui avec la main et, subitement, se rassit.

– Dans un premier temps, nous eûmes à éteindre ici et là quelques séditions, à raser quelques villages. Peccadilles pour des combattants tels que nous. Et les roitelets nous ouvraient leurs cours. Nous chassâmes dans leurs parcs privés. Nous tuâmes, un jour, plus de deux mille bêtes sauvages. Dont plus de lions qu'un chasseur du mont Pangée aurait pu rêver pouvoir en tuer durant une vie entière. Mais – car dans cette histoire il y eut toujours un mais – un rajah résista. Il s'appelait Porus et régnait sur ta contrée, Démétrios, comme un grand roi sait régner. Et, comme un grand roi, il se battit avec ses deux cents éléphants de combat. La feinte d'Alexandre qui consista à galoper toute une nuit pour le prendre à revers allégea à peine nos pertes. Les éléphants saisissaient les hommes avec leur trompe et les soulevaient jusqu'aux archers, qui les criblaient de flèches, ou tout simplement les piétinaient. Il nous fallut huit heures pour venir à bout des Indiens. Pour beaucoup d'entre nous, le voyage s'arrêta là. Ainsi que pour Bucéphale, l'étalon bai marqué d'une tache en forme de tête de bœuf qui avait suivi Alexandre dans toutes ses conquêtes. Une ville fut fondée en son nom au bord de l'Hydaspe, où eut lieu cette dernière grande bataille.

À l'est, l'horizon pâlissait. Silencieusement, le vieil homme et le garçon remercièrent le jour d'être à nouveau victorieux de la nuit dans cette guerre qui ne s'achèverait jamais.

– Après cet affrontement, nous marchâmes deux mois durant sous des trombes d'eau au travers de contrées infestés de serpents et d'araignées qui tuèrent plus de nos hommes que les armées de Perse durant les trois batailles décisives. Puis nous arrivâmes ici.

Démétrios embrassa la plaine du regard. Il redécouvrait ce paysage familier, imaginant l'armée disloquée et harassée campant à l'endroit où se trouvait son village, Alexandre montant la sente pour venir à leur rencontre.

– Nous n'avions pas atteint les limites du monde mais les nôtres, oui. Les Indiens nous avaient décrit d'autres fleuves au-delà de l'Hydaspe, comme le Ganga, infesté de crocodiles. Nous n'irions pas plus loin. Et, cette fois, Alexandre nous écouta. Après s'être retiré trois jours sous sa tente, il décida qu'il était temps de rentrer chez nous. Ce fut un moment très particulier. Nous balancions entre le soulagement d'en avoir réchappé et une certaine tristesse. Sur cette terrasse, nous dressâmes nos colonnes d'Héraclès, douze stèles dédiées aux grands dieux, Consentes et Cabires, ainsi que ce pieu, au milieu, sur lequel on écrivit...

– « Ici s'est arrêté Alexandre », cita Démétrios.

Le soleil sortit de terre pour darder sur eux ses rayons bienfaiteurs.

– Mais, avant de partir, Alexandre fit doubler la taille de notre camp et tailler des auges formidables qui existent encore sûrement...

– On les appelle les navires de pierre, intervint Démétrios. Elles sont immenses !

– Alexandre les voulait ainsi. Pour faire croire à ceux qui les découvriraient qu'une armée de géants avait, à cet endroit, bivouaqué.

Le vétéran soupira avec un brin de nostalgie. A l'approche de la fin, il voyait comme ces moments avaient pu être grands et quelle chance il avait eue de les vivre.

– Nous rejoignîmes Bukhéphalia, la ville qui avait été fondée au bord de l'Hydaspe en mémoire de Bucéphale. Là, une flotte de deux cents navires fut créée de toutes pièces. L'idée était de rejoindre l'Indus et de le descendre jusqu'à l'Océan. Le signal du départ fut donné par Alexandre, depuis la proue du navire amiral, lorsqu'il versa du vin de la coupe d'Héraclès dans le fleuve pour sacrifier aux dieux et réclamer leur protection. Les dieux en avaient-ils assez de le soutenir ? Les Argonautes ne connurent pas moins de tourments que nous autres durant ce voyage, nous qui ne cherchions plus qu'à protéger nos vies afin de rentrer au pays. Il y eut d'abord ce fleuve et ses tourbillons maudits et le prodige des eaux qui se retirèrent lorsque nous arrivâmes dans le golfe de l'Indus. Nous apprîmes par la suite ce qu'était une marée. Nous étions enfants de la Méditerranée et nous ne savions rien de cela. Nous y perdîmes en un jour la moitié de la flotte. S'il n'y avait eu que les éléments ! Mais nous traversâmes un pays de barbares où l'on se vêtait de peaux de bêtes, où l'on vivait dans des huttes aux toits en côtes de baleine. Celui qui se faisait appeler l'invaincu, le kosmokrator, le maître de l'univers, eut fort à faire avec les brahmanes à moitié nus et leurs flèches empoisonnées. Le massacre de quatre-vingt mille de ces démons ne nous offrit qu'un court répit. Et, une fois arrivés à l'Océan, la débâcle continua. Alexandre confia la flotte à Néarque, à charge pour lui de trouver la route du golfe Persique. Le gros des troupes partit par la terre, par le désert de Gédrosie et la vallée de Bampur. Choix funeste entre tous. Lorsque Néarque nous retrouva, nous n'étions plus que cinq mille. Et dans quel état...

Démétrios, adossé à la colonne centrale, était plus attentif que jamais. Il sentait que les choses se précipitaient, que la fin approchait.

– Alexandre organisa le rassemblement de ce qui lui restait de forces puis il galopa vers Persépolis. Là, il remit son habit de roi des Perses. Il châtia les indociles, punit les profanes, redonna à l'administration une base solide, regretta publiquement l'incendie du palais. Puis il partit pour Suse. Mais les nuages s'amoncelaient à l'horizon. Avant d'entrer dans la ville, un fakir du nom de Kalana, ramené de ton pays, se suicida à la manière des jaïns. Il se jeta vivant dans le bûcher solennel en donnant rendez-vous à Alexandre à Babylone. Funeste prévision. Les dés paraissaient jetés. (Le vétéran se gratta la joue, pensif.) À mon avis, ils le furent du moment où Olympias plaça son fils dans l'orbe de Zeus pour le lancer à la poursuite d'un destin qui ne lui appartenait pas. Prométhée a tenté de l'aider en lui raconter la fable du trésor. Mais Alexandre était comme ces collines de charbon qui peuvent se consumer des jours entiers sans que l'on s'en aperçoive. Une fois l'incendie visible, il n'y a plus moyen de l'arrêter. Et, en effet, son feu intérieur le dévorait. Il multipliait fête sur fête. Pour preuve, quarante et un de ses officiers moururent d'ivrognerie lors de la bacchanale qui marqua son retour à Suse. Mais quelle énergie dans ses dernières réalisations! En quelques mois, il obtint de la Grèce qu'on le reconnaisse officiellement comme un nouvel Héraclès. Il scella la réconciliation entre les peuples de Macédoine et d'Asie en épousant et en faisant épouser à ses compagnons des princesses asiatiques de haut rang. Il fit entretenir les feux sacrés des mazdéistes, créa un corps d'armée asiatique, jeta le plan d'une nouvelle voie de communication sur le Tigre en faisant sauter les barrages construits par Darius. Le périple de Néarque lui ayant montré que les fleuves de Perse et d'Inde pouvaient être reliés, il voulait rendre cette côte hospitalière, y implanter des comptoirs. Ainsi, il préparait la conquête de l'Arabie, immense territoire et prochaine étape avant l'Afrique.

Le vétéran se calma et reprit plus lentement :

– Lorsqu'il arriva à Ecbatane, la ville aux sept enceintes, Alexandre sacrifia au palais du Soleil, comme il avait sacrifié au temple de Jupiter à Gordion, de Melkhart à Tyr, de Mardouk à Babylone, d'Indra à Nysa. Une nouvelle beuverie eut lieu. Le cratère d'Héraclès passa de main en main. Boire deux litres de vin pur d'une traite pour montrer que l'on est un homme... Épreuve stupide s'il en fut ! Héphaïstion, le fidèle des fidèles, le second de l'Empire, y laissa la vie. Alexandre, ivre de tristesse et de fureur, partit seul pour Babylone et massacra tous les hommes valides sur sa route, parlant de sacrifice. Il n'y avait dans son épée plus une once de justice. Juste de la démence.

Des bruits montaient du village.

Un coq annonçait tardivement le matin. Les enfants jouaient. Au bord du fleuve, les hommes se préparaient à réceptionner un train de fûts de cèdre descendant par flottage des monts de l'Imaïs. Activités d'une réunion de feux n'ayant rien d'un empire et d'où la folie était a priori absente, pensa Démétrios. Alexandre avait-il jamais été heureux? Tout bien pesé, le garçon préférait une vie sans faste mais longue et belle à un chemin grandiose tracé au bord de l'abîme.

– Babylone fut sa dernière halte. Alexandre voulait creuser un port pour mille navires dans les marais qui environnent les remparts et s'attaquer, de fait, à la péninsule arabique. Il y gagna la fièvre qui l'emporta... comme ton père.

Le vétéran continua, une expression indéchiffrable sur le visage.

– Il mit plus d'une semaine à mourir, peu après avoir rendu les derniers honneurs à Héphaïstion au travers d'un monument grandiose. Les diadoques, ses successeurs, s'entredéchirèrent sur sa dépouille pour savoir qui hériterait de quoi. L'Empire fut divisé comme un manteau au fil de l'épée. Le corps du conquérant fut momifié, rapatrié à Alexandrie d'Égypte, où il fut placé dans un catafalque de cristal. Et voilà tout.

Le vieux se leva. Il siffla entre ses doigts avec une belle vigueur puis il entreprit de replier sa tente.

– Comment ça, voilà tout? s'exclama Démétrios en se levant à son tour, indigné.

– Tu veux savoir la suite? Les satrapes redevinrent indociles. Le régent, à qui l'anneau d'Alexandre fut confié, périt assassiné au passage d'une rivière, en Égypte, et l'anneau fut perdu. Kratéros, un des compagnons, exécuta Roxane et son fils, le fils d'Alexandre, tout comme Olympias avait exécuté le rejeton et la dernière épouse de son père. Près de douze ans de conquêtes inhumaines. Dix huit mille lieues parcourues. Peut-être dix fois plus de morts. Pour ça, mon cher Démétrios. La vie est une suite de créations et de destructions. Nous bâtissons sur les ruines. Ce pourrait être la principale leçon à tirer de cette histoire.

Le vieux acheva de boucler son paquetage avec toute la science d'un soldat l'ayant fait et défait mille fois lorsqu'un grand chien noir apparut. Il se colla contre son maître et observa Démétrios, sur ses gardes devant la taille imposante du mâtin.

– Tout doux, Perdiccas. Démétrios est un ami. Bon, il est temps que j'y aille. J'ai une longue route devant moi.

Le vétéran descendit vers la plaine avec légèreté, Démétrios sur ses talons.

Fin et dépeçage d'empire ou pas, le garçon n'en avait pas fini avec le conquérant.

– Quel était le but d'Alexandre ? Qui ou quoi poursuivait-il ? Je suis sûr que vous le savez ! Dites-le moi !

Le paquetage dans le dos du vieux, avec sa rondache, lui faisait une bosse comique. Démétrios était obligé de courir pour rester à côté du soldat, qui répondit sans ralentir l'allure :

– Quel était son but ? Il voulait savoir qui il était, cette question !

Voyant que Démétrios ne se satisferait pas d'une réponse vague, comme le conquérant à Siouah, le vétéran reprit les choses point par point, selon la méthode de ce cher vieil Aristote.

– Alexandre descendait d'Héraclès par son père, dixit Olympias. D'accord. Héraclès a accompli douze travaux. Alexandre a fondé douze Alexandrie. Héraclès a été tué par une tunique empoisonnée. Alexandre est peut-être mort de la même manière. Comme Héphaïstion. Qui sait ? L'ultime conspiration contre le roi de l'univers aurait réussi et sa chlamyde pourpre serait l'arme du crime ? Mettons qu'il a suivi les traces d'Héraclès ou celles…

– D'Achille dont il descendait par sa mère ! s'exclama Démétrios.

– D'Achille, que sa mère Thétis plongea dans le Styx pour le rendre invulnérable, sauf au talon par où elle le tenait. Et, comme le héros, Alexandre frôla la mort maintes fois. À Tarse, après qu'il se fut baigné dans ce fleuve glacé. À Issos, où il fut blessé à la cuisse. À Gaza, où il eut l'épaule percée d'une flèche. J'en passe et des meilleures. Achille fut un de ses guides, certes. Mais il y en eut un plus grand.

Ils laissaient le village derrière eux et se dirigeaient vers les montagnes qui, même à cette distance, paraissaient infranchissables.

– Zeus ?

– Non, Dionysos. Je suis sûr qu'Alexandre y pensait lorsque nous rencontrâmes Prométhée. Dionysos, fils de Zeus, donc son frère selon Olympias. Dionysos qui protégeait les mines du mont Pangée. Dionysos qui fonda l'oracle d'Ammon Zeus à Siouah. Dionysos qui chevaucha vers l'Inde, porté par une panthère. Alexandre chevauchait Bucéphale sur une peau de panthère. Et Alexandre ne s'est-il pas proclamé Dionysos ressuscité juste avant de mourir ? De plus, je suis sûr qu'il avait plus de vin que de sang dans le corps. (Le vieux se retourna pour fixer Démétrios.) Héraclès, Achille, Dionysos, Zeus Ammon, Philippe... Après qui courut-il sinon lui-même ? Aristote l'avait parfaitement cerné alors qu'il n'avait pas quinze ans. Pour le philosophe, Alexandre était comme la vertu qui se trouve entre deux vices, telle la générosité entre avarice et prodigalité ou le courage entre lâcheté et témérité. Toujours sur la brèche. Toujours en mouvement. L'énergie qui l'habitait... Ses rêves furent sa force et sa malédiction. (Le vétéran reprit sa route.) À ce sujet, je t'ai dit qu'il pensait conquérir l'Arabie une semaine avant de mourir ?

– Puis l'Afrique.

– Oui. Mais il comptait aller beaucoup plus loin. Sais-tu quelles furent les dernières paroles qu'il m'adressa ? Non, forcément. Sinon, tu serais un démon. Eh, eh ! Et mon Perdiccas n'aurait fait qu'une bouchée de toi.

Ils longeaient un reste de mangeoire géante abandonné par Alexandre pour tromper les générations futures.

– La fièvre le faisait délirer depuis cinq jours lorsqu'il me réclama, moi, le simple voltigeur. Les compagnons me regardèrent d'un mauvais œil mais les volontés d'un grand roi se respectent tant qu'un souffle l'anime. Il conservait sur son lit de mort une certaine aura en dépit de son extrême faiblesse. Il me dit d'approcher et me murmura aussi doucement qu'un roseau bruisse dans le vent, à l'oreille: «Ma dernière ville s'appellera Alexandria Ultima. Elle surpassera en richesses et en beauté toutes les autres. Nous construirons la plus haute tour du monde pour l'atteindre. Nous déploierons la passerelle. Et toi, mon meilleur voltigeur, tu m'accompagneras.» «Où la bâtirez-vous, mon roi?» lui demandai-je. «Sur les terres d'Artémis», me répondit Alexandre.

– Il voulait bâtir une ville sur la Lune? comprit Démétrios en observant l'astre pâle où, disait-on, Artémis chassait les âmes des morts.

Après tout ce qui avait été accompli, c'était effectivement possible, se surprit-il à penser.

– La vie d'Alexandre fut une énigme, reprit le vétéran après quelques instants de silence. Sa mort aussi fut une énigme. Et l'étrange insistance que sa figure met à ne pas vouloir mourir.

– Vous voulez parler de Sikandar?

D'après les gens du pays des Cinq-Rivières, où Démétrios vivait, le conquérant n'était pas redescendu par l'Indus après avoir planté ses stèles en haut de la colline. Il avait laissé un double prendre sa place. Lui, avait continué seul, vers les montagnes qui se découpaient dans le matin et dont la parfaite pureté de l'air montrait les neiges éternelles. Sikandar avait marché, marché, jusqu'à la vallée des bienheureux selon les uns, jusqu'au royaume des ténèbres selon les autres.

– Que restera-t-il d'Alexandre? se demanda le vieux. Des dates. De hauts faits d'armes. Des images... (Il sourit.) Je me souviendrai toujours de lui courant nu autour du tombeau d'Achille aux abords de Troie, chargeant à Gaugamèles, rompant le pain avec Roxane, s'asseyant sur le trône du roi des Perses trop haut pour sa petite taille et demandant qu'on glisse une table sous ses pieds pour qu'il puisse les poser.

Cette image surtout, lui plaisait: celle d'un homme qui avait accompli son rêve d'enfant, soit conquérir le monde, tout en étant cruel, généreux, insouciant, inconscient... Comme un enfant. Et il l'avait fait avec ses amis d'enfance: Kratéros, Néarque, le dévoué Héphaïstion...

– Je vais te raconter une dernière anecdote à son sujet. Lorsque nous nous trouvions près de la mer Caspienne, la reine des Amazones, Thalestris, vint trouver le conquérant. Elle vint le trouver et lui dit: «Je suis la reine des guerrières. Tu es le roi des guerriers. Unissons-nous. S'il me vient une fille, je la garderai. S'il me vient un fils, je te le renverrai.» Alexandre dit: «D'accord.» Ils s'enfermèrent treize jours durant sous sa tente. Puis Thalestris prit congé pour ne plus jamais reparaître.

– Donc elle avait eu une fille?

– Qui sait? Et cette rencontre eut-elle jamais eu lieu? Suis-je en train d'inventer ou de raconter? De toute façon, il y aura des historiens, à l'avenir, pour douter. Et pourtant... (Le vétéran changea soudain de ton.) Dis-moi, garçon, n'y a-t-il pas un lac, près d'ici?

– Le lac des Immortels, répondit Démétrios, la tête ailleurs. Au bout de ce chemin, à environ cinq lieues.

– Le lac des Immortels. Parfait. Un bain de jouvence me fera le plus grand bien. Allez, Perdiccas. En avant.

Le vieux et le chien s'éloignèrent sans se retourner alors que Démétrios rebroussait chemin à contrecœur vers le village. Le garçon avait l'esprit aussi embrumé qu'un mâcheur de bétel. Il passa chez lui et ne vit personne. Sa mère était sans doute aux champs. Par désoeuvrement, parce qu'il avait besoin de marcher, Démétrios remonta sur la colline.

Il y trouva la cassette de bois précieux qu'il avait vue dans la tente. Le vétéran l'avait oubliée. Il la prit sous le bras et courut vers le lac des Immortels. Aucune trace du soldat. Il appela, interrogea les quelques paysans qui travaillaient au bord du chemin. Ils n'avaient vu passer aucun vieux accompagné d'un gros chien. Démétrios retourna chez lui, où sa mère était revenue avec une brassée de roseaux. Il lui montra la cassette que le conteur avait oubliée, conteur à qui il n'avait même pas demandé son nom, se dit-il alors.

– Je ne pense pas qu'il l'ait oubliée, dit sa mère à Démétrios. Je dirais plutôt qu'il l'a laissée pour toi.

Sa mère était juste. Elle n'aurait poussé personne à s'approprier le bien d'autrui sans être sûre d'elle, pensa le garçon. Tout cela cachait quelque chose...

– Qu'est-ce que tu attends pour l'ouvrir? Une cassette vide n'offre aucun intérêt. Celle-ci est en bois précieux. Elle doit renfermer un trésor.

Démétrios ouvrit la cassette avec précaution. Elle contenait un livre usé, ancien, constitué de feuilles de papyrus reliées entre deux carrés de cuir. Le livre, écrit en grec, avait été annoté, presque à chaque page, par une main différente de celle qui avait reporté l'histoire. Démétrios parvint à déchiffrer:

– *L'Iliade* d'Homère ! *Pour Aristote de Stagyre, à son meilleur élève, Alexandre de Macédoine. « L'homme n'est que le songe d'une ombre. »*

Il s'agissait de l'exemplaire de *L'Iliade* qu'Aristote avait offert à Alexandre ? Et il revenait aujourd'hui à Démétrios ?

– Pourquoi me l'offrir à moi ? demanda le garçon à sa mère.

Qui ne lui répondit pas.

Démétrios cacha son trésor et sortit sur le seuil de sa maison. Là, il observa le village alentour. Des oiseaux volaient haut dans le ciel. Ses amis s'interpellaient dans le fleuve où ils se baignaient après leur partie de chasse nocturne.

– Le monde est grand, murmura-t-il doucement avant de les rejoindre en courant.

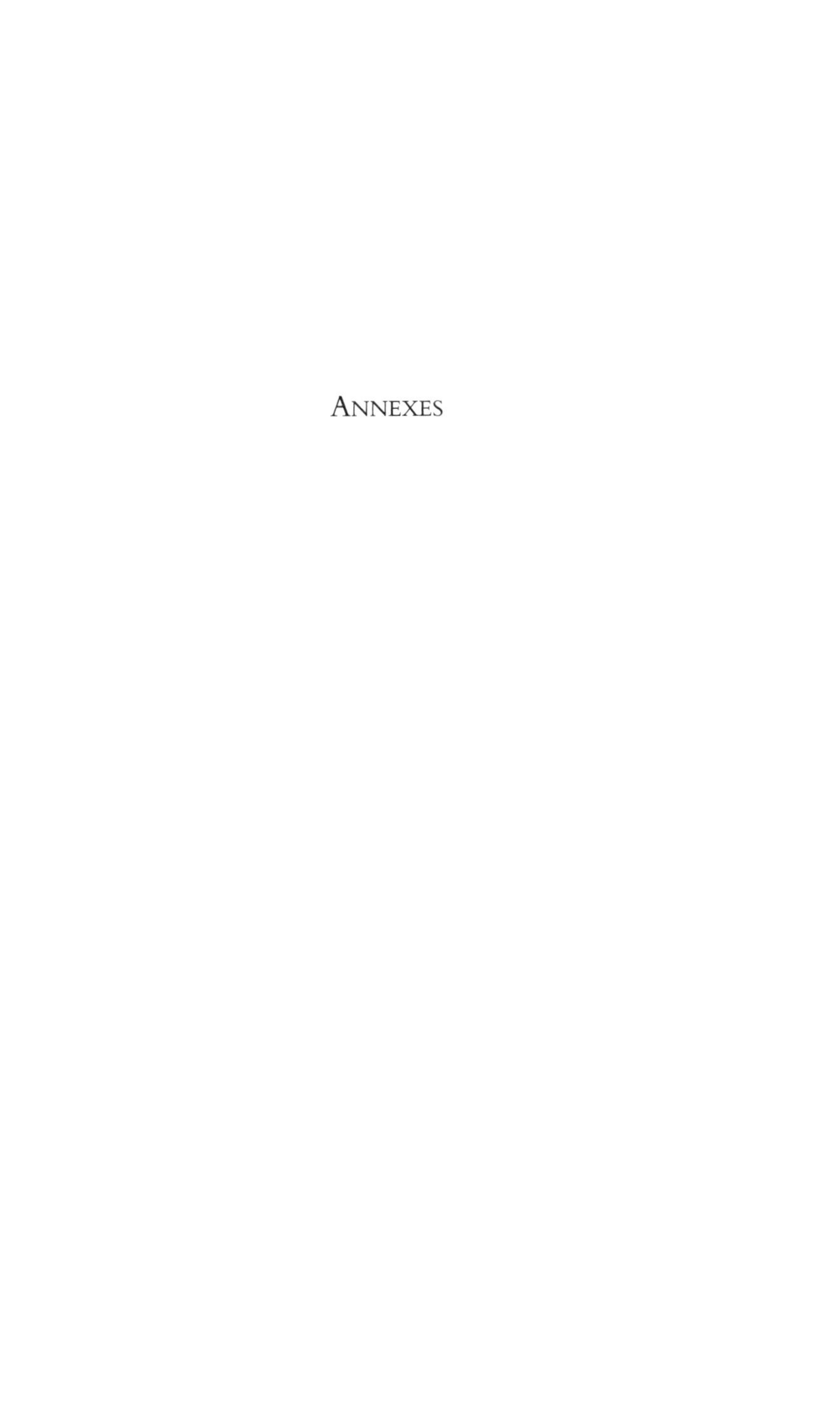

Annexes

Achille

Fils de Thétis et de Pélée, fut le plus grand des héros qui se signalèrent au siège de Troie. À sa naissance, Thétis le plongea dans le Styx et rendit son corps invulnérable excepté au talon par où elle le tenait. Il eut pour gouverneur le centaure Chiron qui, pour lui donner plus de force, le nourrit de moelle de lions, d'ours, de tigres et de plusieurs autres bêtes sauvages. Ulysse vint le chercher pour combattre à Troie. Il y vengea la mort de son ami Patrocle par celle d'Hector, qu'il traîna trois fois autour des murailles de Troie, attaché par les pieds à son char. Le héros mourut d'une blessure au talon.

Ammon

Surnom de Jupiter. Bacchus étant sur le point de mourir de soif dans l'Arabie déserte, implora le secours de Jupiter, qui lui apparut sous la forme d'un bélier, lequel frappant la terre du pied, fit jaillir une source d'eau. On dressa en cet endroit un autel à Jupiter qui fut surnommé Ammon à cause des sables qui sont dans cette contrée. Les peuples de Libye lui bâtirent sous ce nom un temple magnifique, dans les déserts, à l'occident de l'Égypte. On y venait consulter les oracles de ce dieu.

Bacchus

Dieu du vin. Fut instruit par les Muses et par Silène. Devenu grand, il fit la conquête des Indes, suivi d'une multitude d'hommes et de femmes portant, au lieu d'armes, des thyrses et des tambours. Ensuite, il alla en Égypte où il enseigna l'agriculture et planta la vigne. D'Égypte, il vint à Cybèle, ville de Phrygie, où il fut initié aux mystères de la mère des dieux.

Hercule

Fils de Jupiter et d'Alcmène. Le jour de sa naissance, le tonnerre se fit entendre dans Thèbes à coups redoublés. Il exécuta ces périlleuses entreprises connues sous le nom des douze travaux. Il étrangla le lion de la forêt de Némée ; il tua l'hydre du marais de Lerne ; il prit le sanglier qui ravageait les environs du mont Érymanthe ; il atteignit la biche aux pieds d'airain ; il extermina à coups de flèches les horribles oiseaux du lac Stymphale ; il dompta le taureau furieux qui désolait l'île de Crète ; il emmena les chevaux de Diomède ; il vainquit les Amazones ; il nettoya les étables d'Augias ; il terrassa Géryon et emmena ses bœufs ; il enleva les pommes d'or du jardin des Hespérides ; enfin il retira Thésée des enfers. La jalouse Déjanire le tua en lui envoyant une tunique empoisonnée. Jupiter enleva le héros au ciel pour le mettre au rang des demi-dieux.

CRÉDITS PHOTOGRAPHIQUES

(situé après la page 40, de haut en bas, de droite à gauche)

p. 1

Tétradrachme de Lysimaque – environ 300 av. JC. – Alexandre le Grand divinisé en Amon, © The Art Archive / Fitzwilliam Museum / Dagli Orti

Tête d'Alexandre le Grand – IIe siècle av. JC. prov. de Pergame, © The Art Archive / Musée archéologique / Dagli Orti

Détail de la mosaïque d'Alexandre – IIe siècle – Ier av. JC – prov. de Pompéi : Alexandre le Grand à la bataille d'Issos (en turquie) en 333 av. JC, © The Art Archive / Musée archéologique / Dagli Orti

p. 2-3

© Pascale Bougeault

p. 4-5

Photo du film *Alexandre*, Oliver Stone, 2004 © Warner

p. 6-7

Charles LE BRUN (1619-1690) : *Entrée d'Alexandre le Grand dans Babylone* – v.1673 – huile sur toile – 450x707 cm, © The Art Archive / Musée du Louvre / Dagli Orti

Photo du film *Alexandre*, Oliver Stone, 2004 © Warner

p. 8

Photo du film *Alexandre*, Oliver Stone, 2004 © Warner

Sarcophage dit d'Alexandre le Grand prov. de Sidon au Liban – Art hellénistique – fin IVe siècle av. JC – marbre, © The Art Archive / Musée archéologique / Dagli Orti

Dans la même collection à *l'école des loisirs*

Collection BELLES VIES

Charlemagne
Christophe Colomb
Marie Curie
Charles Dickens
Molière